JACQUES
MARTIN

LE
FILS DE SPARTACUS

CASTERMAN

Les Aventures d'ALIX
sont éditées dans les langues suivantes :

allemand :	CARLSEN	Reinbek / Hamburg
danois :	CARLSEN/IF	Copenhague
espagnol :	NORMA	Barcelone
finlandais :	WSOY	Helsinki
indonésien :	INDIRA	Djakarta
islandais :	FJÖLVI	Reykjavik
néerlandais :	CASTERMAN	Tournai-Dronten
portugais :	EDIÇOES 70	Lisbonne
suédois :	CARLSEN/IF	Stockholm

ISSN 0750-1471
ISBN 2-203-31212-2

© Casterman 1975.

Depuis la fin du jour, les mets les plus recherchés et les plus rares sont offerts aux convives du sénateur Gaius Curion. Les vins d'Espagne, de Sicile et de Cisalpine coulent à flots tandis que les lourds parfums de l'Égypte et les senteurs enivrantes de l'Orient flottent dans l'air. Tout ce qu'il y a de plus beau et de plus raffiné a été rassemblé là pour satisfaire et séduire les invités du nouveau préteur urbain (1)... et aussi pour que ce déploiement de luxe et de richesse soit un reflet de la puissance du magistrat romain.

Quantité de serviteurs vont et viennent chargés de victuailles afin de combler les désirs de chacun....

...et, sur un signe, de jeunes esclaves aux cheveux crépus présentent leurs têtes laineuses aux doigts gras, afin que les mangeurs les essuient avec volupté.

Oh! Regarde! ...Là!...Ces statues, elles bougent!...

Tu divagues! ..Hé! Mais!?.. ..C'est...c'est..

Quel prodige!.. Des bijoux et des fleurs!... Quel faste!...

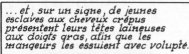

Sporus, réveille-toi! ...Hé!.. Regarde, des danseurs!...

Celle-là aussi s'anime! ..C'est merveilleux!... Quelle splendeur!...

Humhumm!...

Brusquement la grande porte du fond s'ouvre et les froides lueurs des armes brillent soudain.

(1) Le plus haut magistrat de Rome.

3

Les soldats avancent, écartant brutalement les fêtards.

Mais à l'autre extrémité de la salle...

Qu'est-ce que c'est ?... Pourquoi cette intrusion ?...

Je suis ici par ordre du Consul Pompée...Il est indispensable que tu m'accordes un entretien.

Eh bien, parle !...Tous ces convives sont de nobles Romains.

Impossible !...La conversation doit être privée...Secret absolu !...

Oh !...Alors viens par ici.

Mes amis ! Excusez-moi...Les affaires de l'Etat ne souffrent aucun délai...Que la fête continue !

Curieuse arrivée !...Qu'en penses-tu, Galva ?...

En effet !...Mais pour l'heure, rien ne vaut une bonne cruche de vin !

Et sur la terrasse.

Qu'y a-t-il donc de si grave, Siracus ?...

Tu dois réunir le Sénat pour la première heure du jour. Il est donc temps que tu retournes à Rome avec nous.

Mais pourquoi cela ?....

Un affranchi grec vient de faire une terrible révélation.... Spartacus a eu un fils... et il est vivant !

HEIN !?...

4

Es-tu certain que ce Grec n'a pas inventé cette histoire !...

Non !...Aussitôt le secret dévoilé, Pompée m'a envoyé cerner la maison dans laquelle ce garçon et sa mère se cachaient... Là, j'ai retrouvé pas mal de traces... Malheureusement ils ont pu fuir avant notre arrivée.

C'est terrible ! Si ce fils de Spartacus se montre en public, la plèbe le portera en triomphe.

Alors les ateliers et les latifundia (1) vont être désertés puis dévastés par une nouvelle révolte d'esclaves. Ce sera la ruine !....Sans compter les vengeances et les règlements de compte !

Et l'on va revoir ces bandes de pillards féroces mettre l'Italie à feu et à sang, jusqu'au moment où un homme providentiel surgira sur ces décombres...en sinistre triomphateur.

Et celui-là ce sera César !...

NON !.. NON !... mille fois non !

C'est pourquoi il est nécessaire que tu rentres à Rome avec moi. Tu es le seul à pouvoir réunir les sénateurs dans les délais les plus brefs.. ..Prends un manteau et viens.

Peu après, sur les pentes du Janicule, à Rome, comme l'aube se lève.

C'est là !...

Personne !...Allons-y !

BOUM BOUM

Quel tintamarre !... Qu'y a-t-il ?....

Question de vie ou de mort !... Ouvre vite !...

(1) Grandes fermes romaines.

5

Laisse-nous entrer, vite!

Mais!...

C'est bien ici qu'habite le fils de Graccus?

Va le réveiller. Dis-lui qu'une mère traquée demande l'hospitalité... puis qu'on l'aide à rejoindre le camp de César.

Alix n'est pas là!... Vous ne pouvez rester ici... Partez.

Haa! Tu nous chasses!... Eh bien, j'irai au Forum confier au peuple romain le seul descendant de Spartacus... Après quoi je m'immolerai. Adieu!...

C'est ça!... Va jouer ta comédie plus loin.

Cela ira?

Aami!... Sââche qu'un officier romain résiste à... tous les aassauts!... mêême ceux... de... de Bacchus!...

Et peu après.

Maître! Enfin! Je viens t'aider. Attends...

OH!... OOHOOH!...

J'ai dressé la table sur la terrasse... Enak et Héraklion vous attendent déjà.

Haah!... Manger!... Bêêê!...

Comment se fait-il que les deux garçons soient déjà levés?...

Parce qu'une folle est venue tambouriner à la porte, réveillant tout le monde.

Que voulait-elle?...

Être hébergée avec son fils: un prétendu descendant de Spartacus.

Et tu l'as jetée dehors!?...

Il fallait les retenir! S'il s'agit vraiment de la femme et du fils de Spartacus, leur présence à Rome risque de jeter le peuple dans les pires excès!... Les pauvres et les esclaves en feront des libérateurs; quant aux riches, ils chercheront à supprimer ces gêneurs par tous les moyens!... Et puis ils me demandaient l'asile! Tu as eu tort de les chasser.

Mais c'étaient peut-être des imposteurs! Connaissant ta générosité, ils voulaient sans doute en abuser!... J'ai cru bien faire!...

Le seul moyen de s'assurer de la sincérité de ces gens est de courir au Forum. Traquée, cette femme n'hésitera pas à ameuter la plèbe et, dès lors, elle et son fils risquent de se faire massacrer par les gardes!... Il n'y a donc pas un instant à perdre.

Mais à cette heure-ci il n'y a personne sur la place.

Justement, il faut y être avant la foule... Galva, hé! réveille-toi, nous allons en ville.

Mmm!... Mais!... Quelle mouche te pique?...

Et quelques instants plus tard.

Toi, va conduire Héraklion au gymnase... et recherche-le, comme d'habitude... Galva, tu as pris les armes?...

Elles sont là, rassure-toi.

A tout à l'heure.

A ce soir.

Bientôt les trois amis traversent le Tibre...

...puis ils atteignent le Forum où les boutiquiers ambulants s'installent tandis que les premiers passants arrivent.

Il n'y a rien de...

Si, là-bas! ...Vite!...

Mère, est-ce bien nécessaire ?...

Ton père l'aurait voulu ainsi. Agissons avant l'arrivée de la garde... PEUPLE DE ROME !..

PEUPLE DE ROME !... Ecoute une femme qui te demande de protéger son fils : le fruit du plus illustre et du plus courageux guerrier que l'Italie ait jamais vu...

Qui est-ce ?...

Que dit-elle ?...

...celui qui voulait t'offrir la liberté et, en partage, les richesses fantastiques que les patriciens t'ont volées, ô peuple !

C'est elle !

Et le garçon est là aussi. En avant !

Place !... Place !...

Mais ! De quel droit !?...

Qu'est-ce encore ?...

Je suis Alix ; celui que tu cherchais ce matin... Dépêchons, la garde arrive !...

Dans ce temple !... Pressons !

ARRÊTEZ !.. PAR ORDRE DU CONSUL, ARRÊTEZ !..

VLAAK

Nous sommes saufs ; mais peut-être pas pour longtemps !...

Personne ne pourra enfoncer cette porte de bronze.

Mais les soldats peuvent percer ces murs... ou mieux, briser une fenêtre, là-haut !

Ils sont cernés et ne peuvent s'échapper !... Que chacun reste à son poste en attendant les renforts.

8

Quelques instants plus tard, alors que le bâtiment est complètement investi, des hommes accourent déjà avec de longues échelles...

... tandis que Siracus, le chef des gardes de Pompée, arrive sur les lieux.

Ils se sont enfermés là-dedans.

Haemius, comment se fait-il ?...

Au moment où j'allais les attraper, trois individus sortis de la foule les ont entraînés à l'intérieur... Mais ils sont coincés maintenant.

Il faut éviter à tout prix qu'ils parlent à la foule... Tue-les plutôt.

Cependant, à l'intérieur.

Rien !... Rien !...

Pas une issue !...

Si... là !...

Allons-y !... Et, hop !...

Quelle odeur !...

Ce puits doit donner accès aux égouts.

Nous n'avons pas le choix. Descendons.

Impossible de replacer cette fichue dalle !.. Elle est d'un poids !...

Tant pis, laisse !...

Et comme le petit groupe s'enfonce dans l'obscurité, remuant à chaque pas une eau pestilentielle et gluante...

AAAKH !...

Des rats!...J'ai été mordu!...Sales bêtes!...Aaah!...

Fais voir!...Vilaine blessure!...Tu vas retourner chez moi: mon serviteur a ce qu'il faut pour te soigner.

Nous devons d'abord sortir d'ici.

Tandis que plus haut.

Fouillez encore.....Ils n'ont pas pu se volatiliser et doivent se cacher quelque part, dans l'ombre!...

Ici!...J'ai trouvé le passage.

Diable!...Ce conduit communique avec la Maxima Cloaca (1) ...Ils peuvent déboucher à l'air libre n'importe où dans Suburre, le quartier le plus difficile à contrôler!...

Je vais le faire boucler immédiatement.

Ah!..la chance tourne; nous pouvons passer entre les barreaux.

Enfin! Ma main gonfle! ..Et puis cette odeur devient intolérable.

Grimper le long de ces vieux murs ne sera pas trop difficile.

Hé!...Alix!... Là...Là-haut!

Alors, les amis, on a fait une petite promenade matinale?...

(1) Le plus grand égout de Rome, allant du Forum au Tibre, construit par Tarquin l'Ancien.

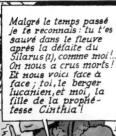
Ha!...Ha!...Un peu plus j'allais jeter mes seaux de déchets sur vos têtes!

Aide-nous plutôt à sortir de là, au lieu de ricaner, Fulgor.

Malgré le temps passé je te reconnais: tu t'es sauvé dans le fleuve après la défaite du Silarus (1), comme moi!... On nous a crus morts! Et nous voici face à face; toi, le berger lucanien, et moi, la fille de la prophétesse Cinthia!

Maia!...En effet!... Et ceux-là, qui sont-ils?...

Alix et ses compagnons...Sans eux les gardes de Pompée nous capturaient, mon fils Spartaculus et moi!...

Lui!... C'est... C'est Spartaculus!?... Le fils du Thrace, de l'imperator (2)... Et les soldats vous poursuivent?... Mille diables!... Attendez, je vais chercher du renfort et on va vous sortir de là!...

Dépêche-toi car j'ai une sale blessure: un rat!...

Avant le milieu du jour les gardes consulaires achèvent de cerner Suburre, sous les moqueries de son étrange population.

Enfin Haemius se décide à pénétrer dans ce quartier si mal famé.

Une centurie avec moi. Nous allons occuper ce secteur... Par groupes de dix, en avant!

Et la troupe s'enfonce dans le dédale des rues étroites et subitement vides.

Soudain.

Ne va pas plus loin, Haemius!

Tu cherches le fils de l'Homme dans les entrailles de la cité! Elle ne te le livrera point!... Pars avant que le ventre de Rome pèse tellement lourd, sur toi et tes soldats, qu'il vous écrase!...

(1) Dernière bataille entre l'armée de Spartacus et les légions romaines (71 av. J.-C.)
(2) Nom donné à Spartacus par ses fidèles.

11

Au même instant, au bord du Tibre.

Hé! Regarde donc ce qui arrive là-bas!... On attend la sortie des ordures par la Maxima Cloaca, et c'est d'une ruelle qu'elles surgissent.

Par pitié, la charité!..Par pitié!

Filez, sinon on vous jette dans le fleuve!...Allez!...

Et avec une agilité surprenante, l'estropié entraîne son compagnon dans un escalier étroit.

Vite! Vite!... La barque est là.

Puis peu après.

En passant derrière les arches on nous remarquera moins.

Que les dieux infernaux vous enfument et vous rôtissent!

Mais!... Mais!... Tais-toi donc, Zozinos.

Je ne respirerai vraiment que sur l'autre rive.

Nous y arrivons. Tu peux enlever ton bandeau, Galva.

Voilà!

Comment te remercier, Zozinos!

Plus tard! Soigne-toi et n'oublie pas le rendez-vous à la grande catacombe de la voie Tiburtina.

N'aie crainte, j'y serai.

Tandis que dans Suburre.

Personne! Ce n'est pas normal, il se trame quelque chose et...

ATTENTION!

AAAH!

Coincés par l'étroitesse des ruelles, les soldats sur-vivants se dégagent et s'enfuient à toutes jambes...

...tandis que de l'autre côté des décombres, Haemius, indemne par mira-cle, tremble encore d'émoi.

Voilà pourquoi les ha-bitants avaient dispa-ru !...C'est...c'est un coup monté...Sortons de ce maudit quartier.

Pendant ce temps, à la Curie, Gaius Curion ouvre enfin la séance devant Pompée, sombre et maussade.

Que l'on ferme les portes : ce débat doit rester secret.

Ce matin, le Consul ici présent m'a fait porter une terrible nouvelle : Spartacus, le bandit, a eu un fils qui est vivant... et dans nos murs !...

Il est inutile de vous rappeler l'appui que la Plèbe a donné à la horde du révolté, il y a deux décades... L'existence de ce Spartaculus risque de faire trembler à nouveau Rome sur ses bases... Cela, il ne le faut pas ; plus jamais ; et pour parer à toute éventualité, je propose de con-fier des pouvoirs exceptionnels et absolus au Consul Pompée.

Aussitôt c'est le tumulte dans la salle, certains sénateurs se couvrent la tête de leur toge.

Enfin, après de longues discus-sions...

Le Sénat estime que le nombre des légions dispo-nibles pour protéger le pays contre une nou-velle subversion est suffisant... Par contre, une somme de 100 talents (1) sera mise à la dis-position du Consul afin de s'emparer du fils de Sparta-cus, par n'im-porte quel moyen.

Voilà !...Pompée !...Je...

J'en ai assez en-tendu !...Lève la séance !...

(1) à peu près 500.000 dollars.

13

Peu après, les portes de la Curie s'ouvrent et les licteurs écartent la foule afin de laisser le passage au Consul, le Grand Pompée, à qui l'assemblée vient de refuser les pleins pouvoirs... une fois de plus en un quart de siècle.

Seigneur, les fugitifs ont réussi à échapper aux gardes... Il paraît difficile de......

Quand la force ne réussit pas, il faut employer la ruse... et lorsque celle-ci échoue, il reste l'argent!...Discrètement nous allons mettre la tête de ce Spartaculus à prix... pour commencer : 50 talents.

Seigneur, demain je pourrai découvrir la trace des fuyards; et je suis à peu près certain de trouver un espion parmi eux.

Puisses-tu dire vrai, le Grec!...En tout cas la prime serait pour toi.. ..Mais ne te trompe pas, Ardélès; et ne me trompe surtout pas!

La nuit venue, des individus sortent des cachettes et, à pas feutrés, descendent les gradins du grand théâtre.

Chut! Silence!... Suivez-moi!...

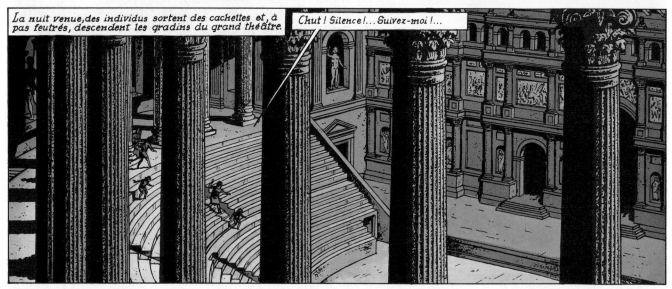

Par ici!...Plus loin nous devrons gravir des étages!...Attention, sur le proscenium (1), pas le moindre bruit car les sons s'amplifient considérablement.

Et le groupe parvenu à l'arrière-scène.

Plus bas, c'est l'aqueduc... Il y a un passage difficile.

Cela ira!...

Alors les fugitifs avancent avec précaution le long de l'ouvrage en réparation et parviennent en vue des remparts.

C'est l'endroit le plus dangereux!

Et soudain.

PLOK

(1) la scène.

14

Rien !... Ce n'est rien !...
Quelques chauves-souris !....

Pourtant ce bruit !?....

Ça marche !...Attendons
quelques instants et
nous passerons la grille.

Voilà !...Les pierres sont
descellées....Doucement !
....Pas de bruit !...

Alors les fugitifs avancent
avec mille précautions, le cœur
bondissant dans la poitrine....
mais en haut, personne; les
créneaux sont vides de ce
côté.

Parvenu à distance, Fulgor
se retourne, fait tour-
noyer une fronde et....

Encore !....

PLOK

Si on allait voir !?......

Que veux-tu aller voir
en pleine nuit ?...
C'est ridicule !...

Ici !...En s'aidant
du lierre, le passage
est plus facile.

Les jeunes gens descen-
dent rapidement,
puis la mère de Spar-
taculus s'engage à
son tour.

Dépêche-toi, le jour
va bientôt se lever.

Oui !....

Et soudain....

HEEH !

15

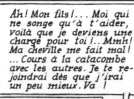

Au même moment, à la porte Tiburtina, Galva sort de la ville tandis que les gardes y laissent pénétrer les marchands de toutes sortes qui attendent longuement, chaque matin.

Mais plus loin.

ARRÊTE!...ARRÊTE!...

Cependant, avec une agilité surprenante, l'estropié bondit de taillis en taillis.

Tu l'auras voulu!

Alors un cri déchirant saisit Enak, resté en retrait...

AAAAAH!..

....et Galva, plus loin.

AAAAHH!..

Vite!Viens par ici... Parle. Que va faire Pompée?... Quelle somme offre-t-il?....

Cinquante talents.... Mais avec le temps ce chiffre augmentera.

AAAAHH!..

A part ce jeune imbécile trop curieux tout se déroule bien. File par là... et ne te fais pas voir... A bientôt; mais sois prudent!....

N'aie crainte!...Toi, surveille bien Fulgor.

Il ne trahira pas: j'y veillerai.

AAAAAHH!...

Zozinos!....Zozinos, qu'as-tu?.... Mais tu es blessé!?..

C'est!... C'est.... Euh!..Eh... C'est.... eu...

Zozinos!?.... Mais, réponds-moi... Zozinos!..... Zozinos!?!....

Hé!... LÀ-BAS!... Que se passe-t-il?.... Pourquoi ces cris?....

Galva!...Ô, Galva, viens vite! VITE!...

Par tous les dieux, que faites-vous là?... Qu'est-il arrivé?...

Zozinos!... Regarde, il est mort! ...Un coup de poignard dans le dos. C'est horrible!

Pauvre gosse!... Qui a fait ce coup? L'avez-vous vu?...

Non. M'étant fait mal à la jambe, je suis restée en arrière. Cet enfant a sans doute voulu me rejoindre, pour m'aider ...Il aura dérangé un rôdeur!?

Il m'a semblé voir quelqu'un s'enfuir, par là.

Ne restons pas ici.... Allons rejoindre les autres. Ils sont dans la catacombe, je suppose ?!...Toi, Enak, prends ce paquet. Marchez devant, je vous suis.

C'est de ce côté.

Et quelques instants plus tard.

Mmh! Que cette jambe me fait mal!

Puis tous se retrouvent, mais dans la consternation... Enfin, le petit corps mutilé est déposé dans une alcôve.

Il faudra lui faire une dernière toilette avant de fermer la tombe.

Je vais aller chercher de quoi l'embaumer...Je connais des plantes qui ...

NON!...

Tu n'as plus mal à la jambe?....

Personne ne sortira seul d'ici; un mort cela suffit!...Nous partirons la nuit prochaine...D'ici là, méfiance: soyons sur nos gardes.

Tu as raison, Alix ; nous allons nous méfier les uns des autres !.. Pauvre enfant : lui n'aura pas ce souci.

Misérable garçon ; estropié par des miséreux rendus féroces par la convoitise...

Que veux-tu dire ?...

Qu'il a été mutilé, tout jeune, afin d'apitoyer les passants... Ses plaies savamment infectées provoquaient la compassion... ou l'horreur !

Si mon père avait vécu, il aurait empêché de telles injustices.

Peut-être ! Peut-être !.. Ah ! Spartacus ! Lorsqu'il s'est échappé de l'école des gladiateurs de Capoue, quelle ivresse il a connue !.. Quel formidable espoir il a fait naître !

Comment cela ? ..Explique-toi !

Ce matin-là, l'homme à la peau de bête s'empara d'armes improvisées : des broches, des tisons ...et le voilà fuyant la ville avec quelques compagnons.

Ils s'attendaient à être poursuivis et traqués, mais la surprise fut telle que le Sénat ne réagit pas...

Ce fut le grand Conseil de Capoue qui finit par envoyer à la recherche des fuyards une armée de dérision, un ramassis de vétérans.

Ces vieilles recrues surprirent les fugitifs alors qu'ils festoyaient leur liberté toute neuve, dans une auberge ; mais l'affrontement tourna au désastre pour les Romains.

La nouvelle de cette défaite fit affluer chez les gladiateurs une nuée d'esclaves, de pauvres et de paysans démunis, qui, ivres de vin et de rancune, pillèrent et saccagèrent les villes de Nola, Suesula et Calatia... Ce fut terrible !...

A partir de ce moment, la horde se gonfla sans cesse et déambula dans la Campanie, comme un long et terrible serpent. Un monstre de loqueteux qui laissait une profonde trace de sang et de cendre.

Rome, qui considérait ces révoltés comme un ramassis de bêtes juste bon à périr dans l'arène, se décida soudain à en finir et envoya le préteur Clodius Glaber avec trois mille soldats.

Les gladiateurs, qui avaient un sens aigu du combat, décidèrent alors de se réfugier dans le cratère du Vésuve; ce qui surprit fort le préteur... puis l'enchanta, car il crut bien les tenir au piège.

Là, les chefs de la horde se révélèrent: Castius, au regard de fouine; Crixus, le Gaulois, à l'air morne et brutal... et enfin, Spartacus, l'homme à la peau de bête.

De stature athlétique, il avait des gestes lents, précis et parlait peu... mais son regard fascinait et il se montrait un vrai stratège.

Une nuit il décida de déraciner les ceps de vigne plantés sur un versant du Vésuve, afin de constituer une échelle sans fin, pour que la troupe descende du côté de la mer.

A l'aube, ceux que l'on appelait désormais les brigands, quittèrent la montagne, la contournèrent et déferlèrent sur le camp romain .... A part Clodius Glaber, et quelques officiers qui prirent la fuite, les légionnaires furent massacrés.

Dès lors, puissamment armée, la horde alla camper sur une île du Clarus, afin de parer à toute surprise. Mais là, les brouillards du matin, les moustiques et l'oisiveté firent des ravages... Il fallait faire quelque chose!

Et pendant ce temps, à Rome?.. Que se passait-il?....

Merci!...

Rien!...Personne ne voulait plus se dégrader en affrontant ces rebuts de l'humanité....et le mépris du Sénat était terrible!

Chut!..Ecoute!..

Prends une lampe, Galva, et viens avec moi...Vous autres, ne bougez pas d'ici.

Qu'as-tu entendu ?...

Un bruit sourd; comme un roulement lointain.

Ne nous écartons pas trop, Alix, ces souterrains sont de vrais labyrinthes.

Probablement ces éboulis !?...Allons voir !

Non, ces ossements sont là depuis bien longtemps !...Ce n'est pas ça !...Alors !? Peut-être que....

Galva, cet incident est venu à point car il fallait nous entretenir, tous les deux.

Ne trouves-tu pas qu'il se passe des choses étranges ?...Etrange notre rencontre avec Fulgor !...Etrange notre fuite de Rome, sans aucun incident !...Etrange la chute de Maia, à l'aqueduc !...Etrange la mort de Zozinos !...

J'allais le dire !...Il serait plus prudent que tu rentres chez toi....

...car moi je retourne en Gaule. Je n'ai pas eu l'occasion de t'en parler : voici l'ordre de César.

Tu vas beaucoup nous manquer, Galva, mais revenir en arrière est impossible : je conduirai le fils de Spartacus hors d'Italie. Néanmoins tu peux encore nous aider en ramenant Fulgor à Rome....Ce sera une sage précaution.

D'accord !

Tandis que plus loin.....

Voilà !...Zozinos a une tombe convenable.

Qu'il repose en paix.

Du bruit !...et de la lumière ! Ils reviennent !

PLOK

Pourquoi as-tu renversé ce vin apporté par Galva ?...

Maia !...Réponds-moi. Pourquoi ?...

Ne touche pas à ma mère !...

IMBÉCILE !...

Du calme, voyons!Du calme!...Il faut quitter cette cata-combe car notre sécurité n'est pas suffisante.

Nous allons nous séparer en deux grou-pes: l'un, avec Maia, Spartaculus, Alix et Enak, remontera vers le Nord; l'autre, Fulgor et moi, retour-nera à Rome.

La fuite du fils de Spar-tacus doit être mainte-nant signalée dans toute l'Italie. Désormais cha-que cité, la moindre gar-nison, représentera un danger accru et vous devrez avancer comme des lynx.

Puis peu après.

Rien en vue!.. Vous pouvez sortir.

Voici l'argent que tu m'as demandé de prendre. Avec les provisions, cela vous permettra de tenir quelque temps!... J'insiste : soyez pru-dents...Au revoir!...

Merci, Galva!..

Et l'histoire de Spartacus!?... Je ne saurai pas la suite!....

Je te la raconterai, sois sans crainte.

Pourquoi passes-tu par ici : c'est plus long!?...

Sans doute ...mais j'ai une bonne raison.....

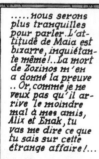

.....nous serons plus tranquilles pour parler. L'at-titude de Maia est bizarre, inquiétan-te même!..La mort de Zozinos m'en a donné la preuve ..Or, comme je ne veux pas qu'il ar-rive le moindre mal à mes amis, Alix et Enak, tu vas me dire ce que tu sais sur cette étrange affaire!...

Tes inquié-tudes sont peut-être, euh!...

Fulgor, je n'ai pas de temps à perdre.....Parle, et vite!....

Je ne suis pas un homme que l'on menace ainsi, alors retire ce glaive.

Après tout, cela vaut mieux ainsi...J'en ai assez, et depuis l'assassinat de Zozinos, j'enrage d'être une pièce de cette machination.

Un coup monté, dia-ble!..Raconte, vite!...

22

Pour obtenir la puissance et l'argent tu n'imagines pas ce que certains peuvent faire ! Toute leur vie n'est qu'une lutte incessante et farouche pour atteindre ces buts.

Quel rapport avec cette intrigue ?....

C'est Maïa qui en est l'âme. Comme une araignée, elle a tissé longuement cette toile dans laquelle nous sommes englués.

Explique-toi, par tous les dieux !....

Maïa est apparue alors que la horde allait quitter l'île du Clarus. Sa mère, une devineresse, faisait des incantations et s'entourait de mystère....

...tandis que sa fille, superbe créature, à l'époque, découvrait son terrible pouvoir de séduction.

Lorsque Spartacus écrasa les légions envoyées contre lui, il s'empara des emblèmes du pouvoir, se vêtit de pourpre et se laissa appeler "imperator"...C'est alors que Maïa mit tout en oeuvre pour lui plaire.

Après ces combats, Spartacus ne se préoccupa de rien d'autre qu'assurer son pouvoir ; puis ériger la cité qui devait être la ville idéale... Où l'on eut la surprise de voir surgir des gibets !....

Ce fut après que la belle Maïa s'installa dans la vie du grand chef et, sous la tente rouge, elle s'entoura d'un luxe extraordinaire.

Bien vite elle se comporta comme une reine, chose inouïe pour ces anciens esclaves et rudes gladiateurs !...

Belle et terrible, voilà ce qu'elle était.

Elle est toujours redoutable, mais pourquoi a-t-elle mêlé Alix à sa fuite tumultueuse de Rome ?..

C'est peut-être le seul, à Rome, à pouvoir la conduire à César... et à risquer sa vie pour la défendre. Elle le sait.

Alix n'a pas l'intention de la mener en Gaule : là elle se trompe... Mais continue ton récit.

Tout alla bien jusqu'au moment où les édiles de la ville voisine prétendirent ne plus pouvoir fournir de vivres ; alors Crixus et Castius, à la tête de leurs troupes, allèrent détruire Métaponte, l'antique cité grecque.

Les Romains ne réagirent pas ouvertement mais ils soudoyèrent les pirates qui devaient transporter les révoltés en Sicile. Les bateaux ne vinrent jamais !...Dès lors il n'y avait d'autre solution que la guerre !

Donc, un matin, Spartacus quitta brusquement la Calabre et, à la tête d'une armée hétéroclite, forte de plus de cent mille guerriers, il remonta l'Italie, saccageant tout sur son passage.....Rome, prête à la soumission, tremblait, mais le Thrace fit la même erreur qu'Hannibal : il passa au large de la cité.

Ce répit inespéré sauva l'Urbs (1)...Arrivé dans la plaine du Pô, Spartacus s'apprêta à traverser le fleuve lorsqu'il comprit qu'il ne pouvait emmener la horde nulle part ailleurs qu'en Italie. Ces malheureux n'avaient point d'autre patrie que cette Rome qui pourtant refuserait toujours de les adopter.

Alors ils retournèrent à marche forcée vers le Sud où cette fois Crassus les attendait avec des troupes aguerries et bien équipées... Pressentant leur fin, les esclaves attaquèrent avec furie, presque tous nus, par dérision contre la carapace de fer et d'airain que formaient les légions.

La défaite fut écrasante !...Malgré leurs recherches, les Romains ne purent identifier le corps de Spartacus.

Avant ce massacre quelques-uns avaient pu fuir par le Silarus, une rivière encaissée...J'y étais, et je n'ai vu ni Spartacus ni Maia ! Pourtant ! Mais il y eut pire que cette hécatombe ! Ah ! Galva, la nuit, ce cauchemar me hante encore !...

(1) "la ville", en latin.

24

De Capoue -d'où était partie la révolte- jusqu'à Rome, Crassus fit ériger un nombre considérable de croix. Au fur et à mesure que les légions victorieuses avançaient sur la voie Apienne, on attachait les prisonniers qui avaient été pourchassés après leur défaite..... Il y en avait un peu plus de six mille; tout ce qui restait de la horde.

Il fallait frapper définitivement les esprits en provoquant l'effroi et la terreur. Rome se vengeait férocement; comme toujours...Les malheureux périrent lentement: les uns de soif, d'autres de faim...la plupart en hurlant de folie sous le soleil.

Pas tous puisque Maia et toi vous êtes vivants!...Et maintenant, comment prévenir Alix ?.. Comment le sauver? Ah! Juste au moment où je dois rejoindre l'armée de César!?....

Il y a un moyen, Galva!..En faisant confiance à un fidèle de l'"Imperator"..J'ai fait des erreurs, mais je ne demande qu'à les réparer!

Au fait!.. Au fait!..

Tu connais sûrement le trajet qu'Alix compte emprunter pour gagner la frontière: explique-le-moi, alors je ferai tout pour aider tes amis et le fils de Spartacus.

Soit! Je n'ai guère le choix!.. Mais gare à toi si tu me trahis!...Voilà!.. Alix a l'intention d'emmener sa petite troupe dans le Nord, où des tribus barbares aideront certainement Spartaculus à rejoindre son pays d'origine: la Thrace....Pour l'instant, Alix se dirige vers le petit port de Pyrgi, où il n'y a ni fonctionnaire ni soldat.

Là, il compte s'embarquer, avec ses compagnons, sur un bateau de pêche qui, moyennant de bonnes sesterces, devrait le conduire sur la côte ligure.

Mais au même instant, dans le palais de Pompée, à Rome. Le voici, seigneur!.. Nous avons enfin réussi à le faire avouer.

Eh bien!?...... Qu'a-t-il dit?....

Toute cette affaire a été imaginée par cette femme : Maïa. Son intention est d'aller le plus loin, au Nord, afin de faire monter au maximum la mise à prix de ce Spartaculus....Là, elle le livrera contre une fortune.

Voyez-vous ça !...

Et toi, là-dedans, que gagnes-tu ?...L'argent, la femme ; ou les deux ?...Après tout cela m'est égal : ce que je veux, moi, c'est ce fils de Spartacus.

A n'importe quel prix : c'est le Sénat qui paye après tout !...Que cette Maïa soit la mère de ce garçon ou pas, et que celui-ci soit un imposteur ou non, n'a plus d'importance. Ce qui compte, c'est de le soustraire à la plèbe... et surtout à César !

Donc il me le faut coûte que coûte ; mais sans fracas...Ardélès, tu vas donc retrouver cette femme, et vite, puis tu lui remettras l'argent contre Spartaculus...Mais tu ne partiras pas seul !...

A tes ordres, seigneur !....

Et le temps passe !....Alix et ses amis voguent comme prévu, et un long voyage les amène sans incident près de Génus (1) où, un soir, ils débarquent....Puis ils remontent vers les Alpes, en de fatigantes marches nocturnes.

Enfin, un matin....

Le Larius !...Nous touchons au but ! A l'autre bout du lac, parmi les tribus de montagnards, il s'en trouvera sûrement quelques-uns pour te conduire dans ton pays, Spartaculus.

Tu viendras avec moi, Mère !

Il faut d'abord trouver une barque : nous ne sommes pas encore arrivés, mon fils !...

(1) Gênes.

26

Une barque!...Nous nous ferons repérer immédiatement.Mieux vaut contourner le lac en de courtes étapes.

AHINON!Assez de marche, je n'en peux plus!... Il y a un village, là, en dessous; on voit des maisons à travers le feuillage.

Maia, c'est imprudent!

À des centaines de lieues de Rome, les misérables pêcheurs de ce hameau ignorent tout à fait qui nous sommes.

Jusqu'ici nous avons progressé sans difficulté.Facilement.Trop facilement!Comme si on nous avait laissé une très longue laisse qui risque de se tendre d'un seul coup, en nous étranglant, au bord de la liberté.

La liberté, elle est au bout de ce lac, et plus vite nous y serons, mieux cela vaudra...Allons!

Soit!

Et peu après.

Des étrangers!

Ils viennent ici.

Nous désirons acheter un bateau.

C'est que!...Attendez!...Le chef du village doit décider.

Hé!Morius.Il y a là quatre voyageurs qui veulent un bateau.

Des inconnus!Euh! J'arrive!J'arrive!...

...Ainsi donc, vous désirez une embarcation!Hum!c'est difficile!...Nous sommes bien pauvres et nous priver d'une barque serait très....

Combien?....

Cent sesterces!

Alix, paye et partons.

Va mettre à l'eau le bateau rouge.

...Pas très fameux! Enfin, c'est mieux que rien!

C'est une erreur, Maia, mais il est trop tard pour reculer.

Ils n'iront pas loin.Hé!Hé!...Dommage de perdre tout ce........

Tais-toi, la vieille!La capture de ces gens-là nous rapportera bien plus que leurs quelques hardes.

27

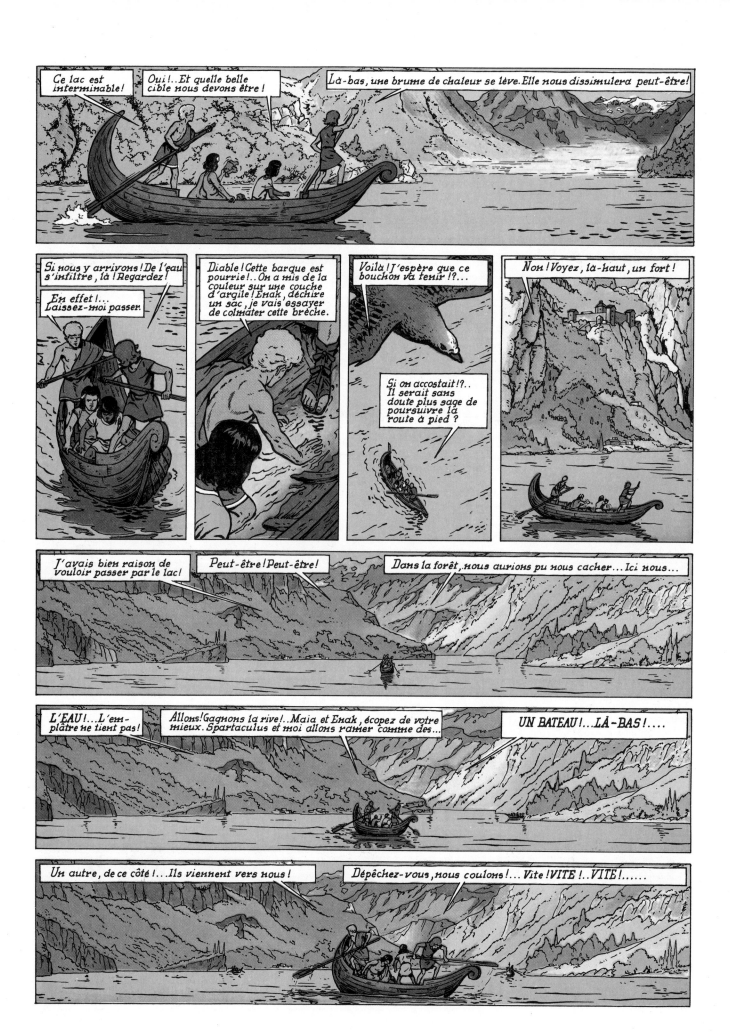

Ces pêcheurs nous ont roulés !......

Mon manteau !

Les sacs !..... Sauvons les sacs !

Non ! Ils nous alourdiront..... Essayons de gagner la rive !

Impossible ! Nos "sauveurs" sont déjà là.....

Il faut vous dire merci ?...

Ce n'est pas nécessaire ! ..... Prenez place ici ; nous allons repartir.

Ils nous emmènent vers cette presqu'île.

Cela pourrait être un joli tombeau !

Tu ironises, Maia, mais c'est toi qui as voulu traverser ce lac en bateau !

.....Et nous voici à destination !

Oui. Et cette propriété paraît être celle d'un personnage important !

C'est bien ce qui m'inquiète !

Suivez-moi.

Ah ! Vous voilà ! .....Enfin !.....

Qui est-ce ?.....

Le préfet. Ici c'est sa résidence d'été.

Attendez-moi, mes amis !...Lorsqu'il fait chaud j'adore me baigner en compagnie de mes petits dauphins qui me font des taquineries sous l'eau !..Hi ! Hi !..Mais j'arrive ; je viens m'occuper de vous !

Allez, mes petits poissons, laissez-moi !... A plus tard !.. Hergola, présente-moi des vêtements légers.

Oui, seigneur.

....Je suis Livion Spura, préfet du Larius, région qui dépend de la Cisalpine. Cependant, depuis que César - qui est toujours le gouverneur en titre de la province - guerroie en Gaule, je fais fonction de préteur... Par ici : il y a malheureusement beaucoup de marches.

Toi, bon jeune homme, permets que je m'appuie sur ton bras... C'est toi Spartaculus, je présume, puisque celui-ci est blond et l'autre trop jeune !......

Oui....

Ils se nomment Alix et Enak.... Maia, elle, est ma mère.

Mais comme c'est bien !... Tu es vraiment charmant !... Hum ! Sentez-vous l'odeur délicieuse et raffinée de ces fleurs ? Ce fut vraiment une bonne idée d'avoir installé ces jardins en cascade.

Ici nous débouchons sur la plate-forme d'où la vue sur le lac est la plus belle ... Mais ne me quitte pas toi, reste, voyons !...

Que c'est beau !... Ah ! Il faut toujours jouir du moment présent car la destinée humaine est parfois bien fragile ! N'est-il pas vrai ? Alors, profitons-en !..

Bon !.. Maintenant, Spartaculus, aide-moi à gravir ces quelques marches, là-bas. Mais que tu es gentil ! Hi ! Hi !......

Au bout de cette galerie, j'ai une petite surprise pour vous, mes amis... Viens, Spartaculus.

Voyez, j'ai fait dresser cette table. Installez-vous. Par ici, mon garçon.

Mais !? Tu nous attendais donc ?!?......

J'attends toujours des amis... Et rien n'est assez beau pour les recevoir!

Donc tous les gens qui font naufrage sur ce lac sont tes invités!?...

Un messager consulaire parcourt l'Italie à plus de soixante lieues (1) par jour...sans évoquer les pigeons qui se déplacent encore plus rapidement.

Et voilà pourquoi Spartaculus, sa mère, Enak et moi sommes tombés dans ce traquenard!?...

Surtout s'ils intéressent tant le Sénat, Pompée et, par voie de conséquence, César!... Ho là, serviteurs! Avancez les plats... Que disais-je!?...Ah! Oui, à notre époque les nouvelles vont vite.

Disons un rendez-vous que j'ai un peu aménagé!.... C'est une chance pour vous d'être arrivés ici, car j'ai l'intention d'en référer à César, qui est toujours le gouverneur de cette province, je l'ai déjà dit....Pendant que les deux consuls et le Sénat se disputeront ce charmant jeune homme, les mois passeront!...Et le temps arrange tellement bien les choses!...

Livion Spura, j'ai pris l'engagement de conduire Spartaculus hors d'Italie et je tiendrai parole.

Tu es bien présomptueux, Alix!

Après avoir mené ce garçon si près de la frontière, là-bas, je ne vais pas l'abandonner parce qu'une dernière difficulté surgit.

Oui, mais cette difficulté est un promontoire abrupt gardé par beaucoup de soldats!

Ceci est donc une prison, fastueuse certes, mais une prison!

Mais nous sommes tous prisonniers, mon cher; prisonniers de nos manies, de nos vanités, de nos faims, de nos intérêts, de nos...

INFÂME!...

(1) A peu près 250 kilomètres.

Enak!...Spartaculus!...Vite!Vite!...

NON!..Toi, reste ici......J'AI DIT, RESTE!....

Le chien!...

À L'AIDE! AU SECOURS! À MOI, GARDES!... Que l'on rattrape ces fuyards, morts ou vifs, mais qu'on les ramène!

Tu es toujours là, mon brave ami! Ah!comme c'est bien!..Tu as confiance en moi:HiHi!Je ferai beaucoup pour toi, tu verras!Hi!Hi!...

C'est moi, sa mère, qu'il ne quittera pas.

Ça, nous ver....

Me voici, seigneur!...Qu'y a-t-il? ....Tu as été agressé?....

Oui, mon brave Scorbus. Abusant de mon hospitalité, deux jeunes énergumènes m'ont lâchement attaqué ....Heureusement j'ai paré le coup, mais ils ont pu fuir!..Un magistrat romain ne peut pardonner un tel affront et ma colère est grande. Ramène-moi ces voyous, vivants ou morts; peu importe!...

Compte sur moi, maître.

Vous avez entendu, vous autres: deux fuyards à débusquer. Goria, prends la tête d'un groupe de vingt hommes : tu rabattras le gibier par les jardins......

(1) logement des esclaves.

..Moi, je vais faire le tour par l'ergastule (1) et la darse..Rendez-vous sur les hautes roches.

Va.!..S'ils résistent ; massacre-les.

Et Sparta....

Chut!...

..Il y a peu de chance qu'ils aient pu s'échapper par ici. Je suis certain que les hommes de Goria les ont déjà rattrapés.

C'est incompréhensible! Nous avons battu chaque fourré et rien !?!.. Impossible de sauter dans l'eau de.....

PLOUF

Là !..Vite!....

Par tous les diables! Ils n'ont quand même pas plongé de cette hauteur !?..

Qu'ils soient tombés volontairement ou non, leurs corps ne réapparaîtront pas à la surface de sitôt!

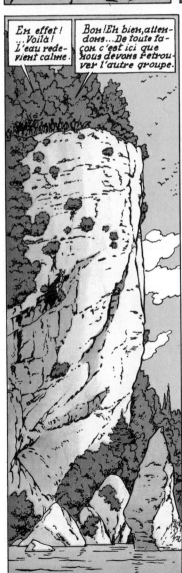

En effet! ...Voilà! L'eau redevient calme.

Bon! Eh bien, attendons...De toute façon c'est ici que nous devons retrouver l'autre groupe.

Alix!..Ne bouge pas: ils sont toujours là-haut... Hé!..Tu vas encore faire tomber des pierres!...

Je n'en peux plus! ...Il faut absolument que j'arrive à cette corniche.

Il me semble avoir entendu!...

Attends!....Voici les autres!...

Ils ont risqué le tout pour le tout en se jetant dans l'eau !.. Un véritable suicide! ..Ils n'ont pas reparu !..

Ouais !...Dispose tout de même dix hommes le long du rocher ; cela jusqu'à la nuit.

Une grotte !.. Il était temps !....

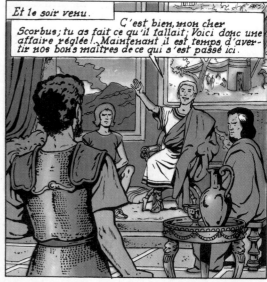

Et le soir venu.

C'est bien, mon cher Scorbus; tu as fait ce qu'il fallait; Voici donc une affaire réglée !.. Maintenant il est temps d'avertir nos bons maîtres de ce qui s'est passé ici.

Alors envoie un message à César : par pigeon, demain, à l'aube.... Pour Pompée, les relais normaux suffiront. Cela mettra un peu plus de temps......De toute façon nous avons un long délai devant nous.

Hé ! Hé !... Comme nous allons être bien ensemble ! Nous avons désormais tout le loisir de bien organiser notre vie... et de penser à l'avenir. N'est-il pas vrai ?......

Personne ne pourra nous déranger avant longtemps..Et puis nous sommes admirablement protégés, formidablement gardés, parfaitement isolés ; bref à l'abri de toute surprise.

Juste bien pour se livrer à ses passions !

Comme c'est bien dit, Maia !.. Voici justement la nuit qui tombe. Va te reposer, Spartaculus et moi avons encore à parler.

Tandis que dans la grotte.

Arrête de tresser cette corde, Enak... On ne voit plus clair !

Cela me distrait de ma faim.

L'arc et les flèches sont terminés : demain nous ?...

CRRR
CRRRR
CRRR

34

Vite! Plaquons-nous contre la paroi....Attention!...

CRRRR CRRRR

AHH!

Toi!...La petite servante!... Mais que fais-tu là?...

Je suis venue vous donner ces couvertures pour la nuit... Parfois il fait froid!... Je me doutais bien que vous alliez vous cacher ici.

Comme c'est gentil!..Tu es vraiment charmante. Mais comment es-tu arrivée jusqu'ici?

On m'appelle Sabina...Il y a un boyau qui communique avec la montagne de l'autre côté. Il est très étroit...mais rassure-toi, seuls quelques esclaves connaissent le passage.

Ces manteaux sont les bienvenus, Sabina, mais si tu pouvais nous apporter de la nourriture, demain matin, ce serait formidable!....

Je ferai mon possible, Alix... ..Tu as vu, il y a un sentier qui descend jusqu'au bord de l'eau, là, à droite.

Ah!...J'examinerai cela en plein jour.

Bon! Eh bien, à demain.

Au revoir, mignonne Sabina...Comment te remercier?

Bonsoir!

Tu crois qu'elle reviendra?... Ce n'est pas un piège?...

Je l'espère! J'ai terriblement faim...Allons, le mieux est de dormir.

Et plus tard, tandis que les deux amis se reposent....

.....une barque approche silencieusement.

C'est là-haut!.....

35

Eh bien, accoste en bas de ce sentier, là... Doucement ! Doucement !

Voilà, passe-moi mes affaires !

Tiens !...

Et surveille ta langue : n'oublie pas !... Sans quoi il t'en cuirait !

Rassure-toi, je serai muet comme une tombe.

Demain même heure ici, compris ?... Si tu essayes de me rouler je ne donne pas cher de ta carcasse !

N'aie crainte : je serai là.

Pas d'autre solution que menacer ce misérable !... J'aurais dû garder sa barque !... Enfin, le sort en est jeté !

Tandis que plus haut le soleil levant illumine brusquement la grotte.

...Mmh !.. Rien de tel pour se réveiller que ce brave Phoebus (1) !

Regarde qui est là, tapie au fond !

Sabina ! Ma petite Sabina ! Avec de quoi manger ! Tu es vraiment merveilleuse.

J'ai fait de mon mieux !... Pourvu qu'il y en ait assez !

Oui !... Car je voudrais bien en avoir aussi un peu !?... Si ce n'est pas abuser ?..

(1) le soleil.

36

C'est moi, Fulgor. Vous me reconnaissez ?...

Pour sûr ! Mais que fais-tu là ?....

Lorsque je suis parti, avec Galva nous avons eu une très sérieuse conversation. Je lui ai révélé alors le complot monté par Maia, puis j'ai promis de tout mettre en oeuvre pour vous aider. Me voici donc, avec quelques armes.

Viens partager ce repas et explique comment tu as trouvé notre refuge ...

Suivre vos traces a été facile, grâce aux conseils de Galva ; après tout je n'avais que quelques heures de retard sur vous ! ... Quant à cette grotte elle m'a été indiquée par les riverains comme étant la meilleure cachette près de la résidence du gouverneur, chez qui vous avez échoué, tout le monde le sait déjà...Mais franchement je n'imaginais pas vous retrouver dans cet endroit !........

Nous non plus !...Il y a longtemps que je soupçonne la traîtrise de Maia, surtout depuis qu'elle s'est précipitée avec rage dans le traquenard qui nous était tendu. Dès lors il ne restait plus qu'à fuir et je ne sais pas pourquoi Spartaculus n'a pas suivi !?... Maintenant il faut le sortir de là !

Mais j'ai une idée !.. Toi, Fulgor, tu es tout indiqué maintenant pour prendre contact avec les montagnards afin qu'ils prennent en charge Spartaculus !?

D'accord. Le pêcheur qui doit venir me rechercher, cette nuit, m'aidera sûrement... Du moins je l'espère !

Quant à toi, petite fille, demande aux esclaves s'ils veulent participer à la libération du fils de Spartacus !?

Oh ! Oui !.. Ils accepteront tous, j'en suis sûre !

Cependant, à Rome....

Alors les renseignements se recoupent : Spartaculus est actuellement aux mains de ce Livion Spura : une créature de César ! Pourvu que mes hommes arrivent à temps !

.....et au camp de César.

Diable !.. Toi, prépare tout pour renvoyer cet animal avec un mot ; et que l'on aille chercher Galva.

Mais, en fin d'après-midi, alors que le pigeon se hâte au-dessus du lac, un rapace surgit, dans le soleil.

Avancez!... Conduis-les, Sabina!

Là! On vous attend.

Entre, Alix...Tu n'as rien à craindre, au contraire!

Voici Goria, l'adjoint de l'officier qui commande la garde du gouverneur. Moi, je me nomme Harakos et les esclaves, ici, m'honorent de leur confiance... Nous admirons tous ton courage, Alix, et nous voulons t'aider à libérer le fils de Spartacus. C'est pourquoi nous t'avons envoyé la petite Sabina.

Merci.

Puisque nous sommes d'accord et que le temps presse-en raison de l'arrivée des agents de Pompée-nous allons faire le serment de combattre jusqu'à la mort s'il le faut: cela non point tellement pour la personne même de Spartaculus que pour l'idée qu'il représente.

Lorsque cette formalité sera remplie nous dresserons un plan de bataille. D'accord ?....

Entendu!

Bien parlé!

Alors jurons sur cette épée...Pour la liberté du fils de "l'Homme"(1).

Jusqu'à la mort!

C'est juré!

Mais au même instant.

Après ce festin, cher Livion Spura, il est temps d'en venir au but de ma mission...J'ai reçu l'ordre, du Consul Pompée de remettre quelques sacs d'or à cette femme, Maia, en échange de quoi je vais retourner avec ce garçon.

D'abord les sacs, Tullius Tanner..... Rien sans l'or!...

Eh bien, le voici! Arrivez, vous autres!... Ceci est le prix du fils de Spartacus.

(1) Nom donné parfois à Spartacus.

Mais !?..Tu me vends !?...

Préférais-tu être massacré et que l'on jette tes restes aux chiens ?..Sois réaliste.

Mais !Ce n'est pas possible !?.. Ma mère !?.....

Rassure-toi, mon ami, je te protégerai.

Ardélès !..Ton manteau, vite !..

Oui, Maia. Tout de suite !

Ceci est une rançon, en effet !.. Gardes, videz le contenu de ces sacs par terre afin que cette femme se baisse pour le ramasser.

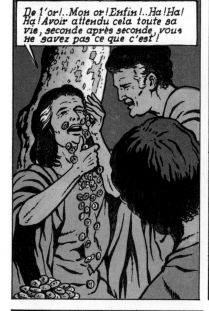

De l'or !..Mon or !Enfin !..Ha !Ha! Ha !Avoir attendu cela toute sa vie, seconde après seconde, vous ne savez pas ce que c'est !

Livion Spura, demain, à l'aube, je me mettrai en route avec le jeune Spartaculus. Que tout soit prêt selon les volontés du Sénat et de Pompée.

Je regrette, mon ami : il faudra patienter encore un peu ! Ici nous dépendons de Jules César, proconsul de la Cisalpine. Je lui ai fait parvenir un message et j'attends ses ordres...Si Rome donne des directives elles doivent suivre la voie hiérarchique, n'est-il pas vrai ?......

Dans ce cas la rançon n'est pas encore disponible. Gardes, remettez-la dans les sacs.

Mais non !..

Laissez cela !..C'est à moi !..Non ! Fichez le camp !..Ardélès ?..

Tandis que plus loin.

Aucun danger. Ils sont bien trop occupés...et on les surveille !

....À moi... êtes fous... non....

Et soudain....

SPARTACULUS !

...PAS ÇA !

SPARTACULUS !..

Que se passe-t-il donc ?...

Alix, je t'en prie! Reste ici!

Mais Spartaculus est en danger!

Non! C'est une dispute! ....D'ailleurs, écoute, la discussion se calme.

En effet!.. Merci, Harakos. A bientôt.

Voilà! Il ne reste plus qu'à nous préparer.

Oui. Cette journée va être longue.

Et lorsque le soleil réapparaît, au bout du lac.

Les barques sont prêtes....Il va être temps de partir.

Quelle chance que tu m'aies écouté, Nassus...Et surtout quelle chance que tu m'aies vu!

Certes, Fulgor, mais si à l'aube prochaine le fils de Spartacus n'est pas libre, je ne donnerai pas cher de ta vie!

Dans ce cas je serai sûrement déjà mort!....Mais ne broyons pas du noir! Où aura lieu le rendez-vous avec les montagnards?

Là-bas, au pied de cette faille; près du pont de la roche fendue. Voici une corne: tu souffleras trois fois et les convoyeurs apparaîtront.

Au revoir.

Que les dieux te protègent!

Et un peu plus tard.

Approchons lentement, puis contournons ce rocher; tout en pêchant.

Tandis que dans le palais.

Il me faut cet or, Ardélès; il me le faut coûte que coûte. Pour cela je ne vois plus qu'un moyen: supprimer celui qui nous empêche de le posséder.

Tu veux tuer quelqu'un?.. Qui cela?....

41

Ce maudit préteur qui est occupé à faire traîner les choses afin de livrer Spartaculus aux gens de César...ou de le garder!

Nous devons agir, Ardélès, sans quoi nous risquons de perdre à jamais cette fortune qui est à la portée de nos mains. Qu'importe la vie de cet énergumène, qu'importe ce "Spartaculus"! Nous serons riches et heureux à jamais!

Ô, Maia!....

Tu sais bien que je ferai ce que tu veux!..Je suis ton esclave: commande et j'obéirai.

Alors tout ira bien. Nous allons aviser.. ..puis nous attendrons la nuit.

Et pendant que Fulgor cache les barques......

Personne ne nous a vus..et cette frondaison nous dissimulera parfaitement... Maintenant, attendons la nuit!

....dans les appartements de Livion Spura...

Tant que cette femme qui prétend être ta mère sera là, ta vie est en danger, Spartaculus! Et peut-être la mienne aussi!..Il faut donc éliminer ce risque!....

Dans des affaires comme celle-là, il n'y a pas de temps à perdre: dressons un plan de bataille.....puis nous attendrons la nuit.

Enfin les ombres s'allongent lentement sur le lac et bientôt les lueurs tremblotantes des lampes apparaissent......

...et cette nuit tant attendue est là!

Ne me quitte surtout pas, mon cher enfant, car sans moi tu es perdu!....

Et de grâce, garde ton sang-froid, quoi qu'il arrive!...

Je ferai de mon mieux!

Ils sont déjà tous là qui patientent! Le sort en est jeté. Viens!...

Et au même instant...

Prenez garde! Le moindre bruit peut tout compromettre!..Doucement! Doucement!......

Ça y est! Ils se disputent!...Quelle bagarre!...Nous pouvons prendre position et attendre les autres.

Alix?...Ah! Tu es là!...Parfait! Il ne reste plus qu'à faire attention au signal!

C'est la phase la plus dangereuse! Heureusement pour nous ils crient très fort, là-haut!...
Eh bien, allons-y!

Tonnerre! C'est une véritable bataille!....Ils sont en train de se massacrer!?......

Scorbus, à moi!...
Traître!..Criminel!...
Haah!..Tue-le...Tue!...

Pas un geste!...

Silence!...

Un seul mot et tu es mort!

Et peu après.

Aaah!......

Assassin!...

Vampire!
...Ah......

Ça ne s'arrange pas!...Vas-y quand même, lance!...

PLOK

43

LOUOUW POUOUW POUOUW

Fulgor a réussi à prendre pied.... En avant !

Mais lorsqu'Alix et ses compagnons arrivent à l'endroit du festin...

Ils se sont entre-tués, rendant notre équipée un peu inutile !...Heureusement Spartaculus est sain et sauf.

Voici tes amis, là. Regarde, Alix !.....

Hé ! Livion Spura s'avance.

Cette femme est ...est...un monstre !...Et cet...cet or...est mau.....mau-dit !...Que.. ..que...

Alix !..Toi !..Sau-ve-le...Sauve ....l'en-fant...Spar-ta...

Il est mort !..Que les dieux le prennent en pitié !

Viens, Spartaculus !...Nous n'avons plus rien à faire ici.Au lever du jour nous te conduirons au bout du lac, près d'un pont, où les montagnards viendront te prendre pour te conduire en Thrace, chez toi...Tu y vivras libre.

Demain nous donnerons des sé-pultures à ces gens...Et que nul ne touche à cet or : il sera jeté au fond du lac...En voilà assez pour cette nuit. Partons !

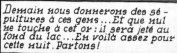

Puis, à part les insectes qui percutent follement les luminaires,dans un ronflement furieux,plus rien ne bouge et tout semble mort..Pourtant, soudain, un corps remue légèrement !...

Une main s'a-grippe à la ta-ble…Un coude s'y appuie…. Enfin la tête de Maia apparaît…

Ils m'ont crue morte!…Les im-béciles!Et ils ont laissé les sacs là, intacts! Ha!Ha!…

L'OR!…A' moi; toute seule!

Et fébrilement elle tire la première charge vers l'escalier.

Quelle chaleur!…Per-sonne en vue!?Tout va bien…Pourvu qu'on me laisse le temps!

Tandis qu'au pied du rocher…

Au revoir…et merci!…Sans vous, nous étions perdus.

Harakos, comment vas-tu expliquer la mort de Li-vion Spura?.

Mais ainsi que cela s'est passé!Après tout les esclaves ne sont pas responsables des excès de leurs maîtres!

Tu reviendras, Alix? Tu me le promets?…

C'est juré, Sabina.

Enfin, lorsque les barques s'éloignent, une formidable ovation salue Alix et ses amis. Les noms de Spartacus et de son fils se répercutent en échos, longuement.

Harakos, je suis vraiment triste!

Il n'y a pas de raison, petite. Maintenant, ils sont tout à fait hors de danger… et puis Alix repassera par ici.

Au même moment, sur la terrasse…

Ouf!Un sac de chargé! …Mais je suis en nage ….et que j'ai soif!…

Cette chaleur!… Une coupe!…La seule chose qui paraît avoir é-chappé au carnage.Hé!Hé!… Eh bien, buvons!

A' ta mort, Livion Spura!…Que Cer-bère déchire ton ombre et que les Fu-ries en jettent les lambeaux dans les profondeurs insondables et froides du fleuve de l'oubli…Ha!Ha!Ha!….

Voilà !...Maintenant, tirer ce sac... jusqu'en bas...Et la partie sera gagnée !...

Lorsque soudain.

Mais !?!..Que ?!..Qu'est-ce qui m'arrive ?...

La chaleur !...Non ! La fatigue......

L'OR...L'OR.....C'est le vin !..Le vin que le préfet voulait que je boive !......

AAAAHHH...

Alors tandis que les esclaves remontent lentement du port de pêche, Maia, elle, abandonnant tout, se précipite vers la barque où elle a placé le premier sac.

Allons, Sabina ! Viens..Ne traîne plus.

Vite !Vite !.Tout n'est pas perdu : si je retrouve Spartaculus !..Un petit pont, au Nord : c'est ce qu'ils ont dit !...

...Des herbes !..Il me les cueillera...Je lui expliquerai...Il le fera ...Par tous les dieux, que mes forces ne m'abandonnent pas !

Et comme les premières lueurs d'une aube blafarde éclairent le lac, plus au Nord.

Personne !....

Pourtant j'ai corné trois fois, comme convenu !

Recommence encore.

POUW POUW POUW WUOP

Hé !..Là-haut !.....

Ces montagnards sont là où on ne les attendait pas ! Ils nous observent.

Voilà qui est bien normal.

Cette prudence est une excellente arme. Avec eux, tu seras bien protégé, Spartaculus.

Maintenant ils descendent, mais lentement. Quelque chose les intrigue encore sur le lac : ils se méfient !

Allons les rejoindre... Toi, attends ici. On te fera signe.

Nous venons chercher le fils de l' "Homme"... Où est-il ?....

C'est lui. Il va....

SPARTACULUS

MAÏA !?..

Ah !.. Toi !.. Enfin !... J'avais peur de...

...ne pas te revoir... Ah !.. Tu peux me sauver ! ...Le chien de préfet... il m'a empoi-sonnée !..

Qu'est-ce qu'on fait ?...

Redescendons. Cette femme est terriblement dangereuse ! Vite !

N'avance plus ! Livre-moi enfin ce secret : es-tu vraiment ma mère ?.. Suis-je réellement le fils de Spartacus ?..... Parle !...

Sauve-moi... Les plantes... Je... Je......

Non !.. Parle d'abord !... EH BIEN !?....

Aaah !.. Tu es... Tu es.....

Imprimé en Belgique par Casterman, s.a., Tournai, août 1984. N° édit.-impr. 2928.
Dépôt légal : 2ᵉ trimestre 1975 ; D. 1975/0053/68.
Déposé au Ministère de la Justice, Paris (loi n° 49.956 du 16 juillet 1949 sur les publications destinées à la jeunesse).